Dorset 77

Cape Dorset
Annual
Graphics Collection
1977

Collection annuelle
des gravures
de Cap Dorset
1977

Dorset 77

M.F. Feheley Publishers Limited

ISBN: 0-919880-10-X (Hardbound édition reliée)
0-919880-11-8 (Softbound édition brochée)
ISSN: 0382-7747

Printed and bound in Canada
Imprimé et relié au Canada

Contents

Table des matières

Introduction

Twenty years have now passed since the first attempts at printmaking were made at Cape Dorset.

The earliest efforts utilized whatever materials were on hand: wood, floor tiles, stone, sealskin, and so on. Osoetuk Ippellie's intrigue with the repeat images on commercial packaging prompted the government administrator at that time, James Houston, to respond to this interest by explaining, through example, the methods followed in intaglio printing.

The following year saw an expanding interest by a small nucleus of men, most of whom are still actively involved in this ongoing venture.

In spite of a growing ability to cut and print blocks depicting animals or aspects of a hunting culture, a number of these men questioned the manliness of this undertaking. (Designs derived from the sealskin-appliqué work of the women had found their way into the collection of works, resulting in the term "sealskin stencil," although skins were not used in the printing process itself.)

Stone became the mainstay of the project with the men whose expertise became readily apparent, and they gained a great deal of satisfaction from the admiration of many. No woman at the time expressed interest in the hard and tedious job of preparing a stone slab for cutting and eventual printing. The women however, soon became the major contributors of design material and remain today the most prolific of the Dorset artists.

Parr, Kiakshuk, Johnniebo, Peter Pitseolak and others were among the men who were in their time proudly involved in seeing their work represented in the annual collection of graphic arts from Cape Dorset. Kananginak, Pudlo and Jamasie remain the more active males in a form of artistic expression dominated by now-famous women artists.

As in past years, Pitseolak, Eegyvudluk, Kakula and Ulayu stand firm in their position of active graphic artists.

Like Jamasie among the men already noted, many of the women have entered their autumn years, but continue to record for us a way of life held most dear in their memories.

Jamasie, featured this year with ten prints, is a small, weathered man, ten years a widower, who remains shy and reticent with almost everyone. He has known since childhood a harsh lifestyle heralded by the untimely death of his father Teevee.

Most of this artist's designs depict a profusion of animals, resulting in active, energetic hunters whose lines are enriched by the bountiful harvest of game. His original drawings are always a delight to see, being carefully composed and painstakingly rendered. He is also a carver of unique personal style but, due to failing eyesight, prefers the black on white drawings to the hatchet and file.

I visited Dorset first in 1958 enroute south, having spent several years in North Baffin. I returned in 1960 to take up residence and to involve myself in seeing through the development of the graphics experiment. In the past seventeen years, the face of Dorset has changed most appreciably, as have all the settlements in the Canadian arctic. The arctic today is witness to a mode of life quite unlike that of a mere decade ago. The more negative aspects of southern society are indeed prevalent but are still not totally embraced by a people who "march to a different drummer." Frustration is experienced for the most part by the young men and women who do not have the developed capacity of their elders to put into perspective the onrushing changes.

Fortunately, there are growing numbers of young people involved in preserving a culture unique to their own environment. Some are caught up in finding satisfaction by working in metal, typography and lithography. It remains, nevertheless, mostly the older people, free of our southern inhibitions, who are best able to illustrate a fondly-recalled and, to a degree still-practised lifestyle. These interpretations are offered in the annual collection of prints.

Some of the earliest champions of Eskimo art have now felt inclined to read into the prints a lessening of intent and enthusiasm that they felt evident some years ago. For my own part, having purchased literally thousands of drawings in the past seventeen years, I feel confident in denying any such erosion of talent. There remains a disproportionately large percentage of talent – illustrated by the works done each and every day.

Some change is being noted in subject matter, given recent works by Pudlo and his fascination with aircraft. But it remains the traditional lifestyle of the people themselves, however much it is being assailed by southern society, that prompts the Dorset artist to set before you the images evident in this collection.

T. Ryan
Cape Dorset
June 1977

Avant-propos

Les débuts de l'imprimerie au Cap Dorset remontent à vingt ans.

Dans les premiers temps, les artisans employaient tous les matériaux qui leur tombaient sous la main: du bois, des tuiles de plancher, des peaux de phoque et ainsi de suite. Ce fut Osoetuk Ippellie qui, impressionné par les images qui ornaient les emballages commerciaux, incita M. James Houston, alors administrateur du gouvernement, à stimuler l'intérêt des Inuits dans ce domaine. Il préconisait l'enseignement, au moyen d'exemples, de procédés d'impression en creux.

Au bout d'un an, on avait réussi à former un petit groupe d'hommes qui pratiquaient ce métier avec enthousiasme. La plupart d'entre eux, d'ailleurs, s'y adonnent encore activement.

Toutefois, à cette époque, même si les hommes devenaient de plus en plus habiles dans la gravure de la pierre et l'impression de dessins d'animaux et de scènes de chasse, il arrivait à plusieurs de mettre en doute le caractère viril d'une telle occupation. (En effet, des motifs inspirés des appliques de peaux de phoque qu'exécutaient les femmes avaient fait leur apparition dans la collection des oeuvres. C'est de là que nous vient d'ailleurs, l'expression "pochoir sur peaux de phoque" et ce, bien que les peaux n'étaient pas employées dans le procédé d'impression comme tel.)

Grâce à ces hommes dont l'habileté ne cessait de croître, la pierre devint le principal support de cette forme d'expression artistique. Leurs oeuvres suscitèrent l'admiration et ils commencèrent à tirer une très grande fierté de leur travail. A l'époque, aucune femme ne semblait tentée par la tâche ardue et pénible qu'est la préparation des dalles de pierre devant servir à l'impression. Par contre, ces dernières s'avérèrent bientôt être les plus grandes productrices d'oeuvres artistiques. Elles sont encore aujourd'hui, les artistes les plus prolifiques du Cap Dorset.

Parmi les quelques hommes qui avaient l'honneur de voir leurs oeuvres figurer dans la collection annuelle des gravures du Cap Dorset, mentionnons Parr, Kiakshuk, Johnniebo et Peter Pitseolak. Aujourd'hui, dans cette forme de création où les femmes dominent, le côté masculin est représenté par Kananginak, Pudlo et Jamasie, tous trois artistes émérites.

Des femmes comme Pitseolak, Eegyvudluk, Kakula et Ulayu pour n'en nommer que quelques-unes, se sont, au cours des dernières années, imposées par leur talent.

A l'instar de Jamasie, parmi les hommes déjà mentionnés, plusieurs de ces femmes sont d'âge mûr. Elles n'en continuent pas moins à relater dans leurs oeuvres une tradition, un mode de vie qui est resté très vivace dans leurs souvenirs.

Jamasie est représenté cette année par dix gravures. Il se présente comme un petit homme usé par les ans et le dur climat, veuf depuis dix ans et qui devant les autres se montre timide et réticent. Il a connu depuis son enfance une vie rude et difficile marquée par la mort prématurée de son père Teevee.

La plupart des dessins de cet artiste représentent une nombreuse faune qui a pour effet d'attirer des chasseurs pleins de vie et d'énergie dont les pièges s'enrichissent d'une abondante moisson de gibier. Ses oeuvres composées et dessinées avec minutie sont vraiment uniques. Il pratique également la sculpture où il adopte un style très personnel. Mais maintenant, à cause de sa vue faiblissante, il préfère les dessins en noir et blanc au ciseau et à la lime.

Je vis le Cap Dorset pour la première fois en 1958 alors que, revenant vers le sud après plusieurs années de séjour à la terre de Baffin, j'y ai fait étape. Je revins m'y établir en 1960, bien déterminé à encourager les diverses expériences dans le domaine graphique. Pendant ces dix-sept années, Cap Dorset s'est considérablement transformé, tout comme le reste de l'Arctique d'ailleurs. De nos jours, les habitudes de vie n'ont plus rien en commun avec celles qui prévalaient, il y a seulement dix ans. La civilisation du sud s'est faite omniprésente avec bien sûr, les aspects négatifs en dominance. Mais les gens d'ici ne se laissent pas facilement engloutir, car leurs racines sont profondes. A l'encontre des aînés, les jeunes ressentent souvent une certaine frustration devant tous ces changements rapides car ils peuvent difficilement se raccrocher à une tradition qu'ils n'ont jamais vraiment vécue.

Mais fort heureusement, on assiste chez ces jeunes à un très grand désir de préserver la culture de leur peuple. Ainsi, certains se passionnent pour le travail du métal, la typographie et la lithographie. Il n'en reste pas moins que ce sont les personnes âgées qui, n'étant pas inhibées par les influences venant du sud, parviennent à illustrer avec le plus de talent ce mode de vie dont ils chérissent le souvenir et que dans une certaine mesure ils pratiquent encore. Ces illustrations sont présentées dans la collection annuelle de gravures.

Depuis quelques années, les premiers maîtres de l'art Inuit affirment qu'ils ne sentent plus à travers les gravures cette conviction et cet enthousiasme qui inspiraient les oeuvres d'autrefois. Mais je crois personnellement, après avoir pendant dix-sept ans acheté des milliers et des milliers de gravures, qu'il est faux de prétendre à une telle érosion de talents. Chaque année, chaque jour, les oeuvres qui se présentent à nous font preuve d'une éclosion fertile de jeunes artistes de grande valeur.

Une différence est toutefois à noter au niveau des sujets. Ainsi, dans les oeuvres de Pudlo, par exemple, on sent très nettement la fascination de l'artiste pour l'avion. Bien qu'elle soit tiraillée par les influences extérieures, ce sont des scènes de la vie traditionnelle de ce peuple, que les artistes du Cap Dorset ont choisi de vous représenter au sein de cette collection.

Terry Ryan
Cap Dorset
Juin 1977

An interview with Jamasie

What was the name of the camp where you lived as a boy? I lived in a camp called Tikkumi. The family travelled to Cape Dorset by dog team in the winter and spring.

What do you remember of the Lake Harbour area when you were young? I have been told that I was born near Lake Harbour, but I do not remember. I remember going from our camp when I was very young to another larger camp where there were Inuit and Kadlunak; I cannot remember it very well.

Do you remember anything of the Hudson's Bay Company, or the Baffin Trading Company from when you were a young man? I remember the place when the only buildings belonged to the Hudson's Bay Company. I went bundled up and tied on a kamotik. We went to the store to buy things. As long as I can remember there were white people there.

What equipment did you use for hunting as a young man? I was taught how to use a gun when I was young. I used to hunt birds and seals this way. I always enjoyed hunting.

Where were your father and mother from? I do not know for sure, but I think that my parents came from near Lake Harbour.

Where are all your children now? All of my children live in Cape Dorset.

When did you first hear that a person could make money from art? When James Houston was here, I was a carver. I did not begin to draw until Terry Ryan came to Dorset. When I first started, it was difficult to think of what to do on the paper. Occasionally I have stopped drawing because of the difficulty, but most of the time I like to draw.

When you first started drawing, did you think that you would make so much or earn so much? When I first started to draw, I was not really interested in money, but now I sometimes have it and that makes me happy.

Has the need to make art ever gotten in the way of your hunting? Art has never gotten in the way, and if the weather is fine I like to go hunting sometimes. I have been drawing for a long time and I still do not really know how to draw, but I am always happy to get the money.

Has making art been a good way to make a living, or do you wish that long ago you had learned another job? Drawing has helped me a lot since I started. However, I have problems with my eyes and that is why, even though I can still draw, it is very difficult at times.

Would you like to see the young people begin to draw and carve? Some young people know how to draw and I think more should try, because I think it is a good thing for them to do.

Are you happy that making your drawings into prints gives people at the Co-op so many jobs? I am happy about my drawings when they are made into prints and they always look better when they are finished. I am happy that workers get money to make my prints.

Une entrevue avec Jamasie

Comment s'appelait le campement où vous viviez quand vous étiez enfant? Je vivais au campement Tikkumi. Ma famille se rendit au Cap Dorset dans un traîneau tiré par des chiens. Elle voyageait durant l'hiver et le printemps.

Quels sont les souvenirs de votre jeunesse au Lac Harbour? On m'a dit que je suis né près du Lac Harbour mais je ne m'en souviens pas. Je me rappelle que quand j'étais petit garçon, nous avons quitté notre campement pour aller dans un autre plus grand où il y avait des Inuits et des Kadlunaks, mais cela reste très vague.

Avez-vous quelques souvenirs de la Compagnie de la Baie d'Hudson ou de la Baffin Trading Company? Oui, je me souviens de l'époque où tous les bâtiments qu'il y avait ici appartenaient à la Compagnie de la Baie d'Hudson. Je suis arrivé bien emmitouflé et attaché sur un kamotik. Nous sommes allés au magasin pour acheter des choses. D'aussi loin que je me rappelle, il y avait des hommes blancs ici.

Qu'utilisiez-vous pour chasser quand vous étiez jeune? On me montra comment me servir d'un fusil alors que j'étais très jeune et je chassais les oiseaux et les phoques à la carabine. J'ai toujours aimé la chasse.

Votre père et votre mère venaient de quelle région? Je n'en suis pas certain, mais je pense que mes parents venaient des environs du Lac Harbour.

Où sont tous vos enfants maintenant? Tous mes enfants vivent au Cap Dorset.

Quand avez-vous entendu dire qu'on pouvait faire de l'argent avec des dessins et des sculptures? A l'époque où M. James Houston vivait ici, j'étais sculpteur. J'ai commencé à dessiner seulement quand Terry Ryan vint s'installer au Cap Dorset. Au début, j'arrivais difficilement à penser à ce que j'allais mettre sur le papier. J'ai abandonné quelquefois à cause de cela, mais en général, j'aime bien dessiner.

Lorsque vous avez commencé, pensiez-vous que cela vous rapporterait beaucoup? Au début, l'argent ne m'intéressait pas tellement, mais aujourd'hui quand j'en touche, je suis content.

Vos activités d'artiste sont-elles jamais venues en contradiction avec celles de chasseur? Non, jamais. Lorsque la température est belle, j'aime bien aller chasser. Je dessine depuis très longtemps et je ne sais toujours pas comment dessiner, mais je suis heureux quand je reçois de l'argent.

Considérez-vous que le métier d'artiste est satisfaisant; souhaiteriez-vous parfois avoir choisi un autre mode de vie? Le dessin m'a apporté beaucoup de satisfaction. Toutefois, mes yeux ne sont plus très bons et même si je dessine encore, cela devient parfois très ardu.

Pensez-vous que les jeunes devraient apprendre à dessiner et à sculpter? Quelques jeunes gens savent déjà dessiner, mais je crois qu'il devrait y en avoir plus car c'est une excellente activité pour eux.

Etes-vous heureux que vos pièces reproduites par gravures permettent à plusieurs personnes de la Coopérative d'avoir du travail? Je suis content que mes dessins soient reproduits en gravures; ils sont toujours plus beaux lorsqu'ils sont terminés. Je suis heureux que les travailleurs puissent gagner de l'argent grâce à mes gravures.

Photo-images

John de Visser's photographs that follow provide a glimpse of life at Cape Dorset today.

Through the use of a different medium, the camera, here are illustrated some of the images that recur time and again in Inuit art. The harshness of the terrain, the wildlife, the fishing trips, the closeness of a family unit, the concept of sharing–all remain central to life as it is lived in the North, and are favourite themes oft depicted by Cape Dorset artists.

Images photographiques

Les photographies de John de Visser nous laissent entrevoir ce qu'est aujourd'hui la vie au Cap Dorset.

L'appareil-photo a saisi pour nous quelques-unes des images qui sont si souvent évoquées dans l'art Inuit. L'âpreté de la terre et du paysage, la nature sauvage, les voyages de pêche, les liens étroits du noyau familial, le mode de vie du nord fondé sur la notion de partage, voilà autant de thèmes chers aux artistes du Cap Dorset.

Cape Dorset
Annual
Graphics Collection
1977

Collection annuelle
des gravures
de Cap Dorset
1977

1

2

Eegyvudluk

I was born in Ikirasak and am 56 years old. I cannot remember the date, but it was the month of October. My father's name was Pamiutuq; my mother's name was Sorosiluto. I have adopted four of my children, the fifth one is my own.

I remember that my first drawing was in 1960. I sold it to James Houston and got forty dollars. I can draw anything I wish to all of the time. I have a lot to say, but I am afraid that I will say too much. A short while after I began to draw, the price was very high. I was paid well even if there were only a couple of drawings to be sold. You tell us to say something, well, here it is. I will say that I have nothing more to write, but really I do.

Je suis née à Ikirasak et j'ai aujourd'hui 56 ans. Je ne me souviens plus de la date de ma naissance mais c'était au mois d'octobre. Mon père s'appelait Pamiutuq et ma mère Sorosiluto. J'ai cinq enfants dont quatre sont adoptés. Je me rappelle avoir exécuté mon premier dessin en 1960. Je l'ai vendu à James Houston pour quarante dollars. Je dessine tout ce dont j'ai envie.

J'aurais beaucoup de choses à dire mais j'ai peur de trop parler. Peu de temps après mes débuts dans ce domaine, les prix étaient très élevés. Je faisais beaucoup d'argent même si je n'avais que quelques dessins à vendre. Vous nous demandez de dire quelque chose, voilà c'est fait. Je vous dirai que je n'ai plus rien à écrire, mais en réalité, j'en aurais beaucoup.

3

4

5

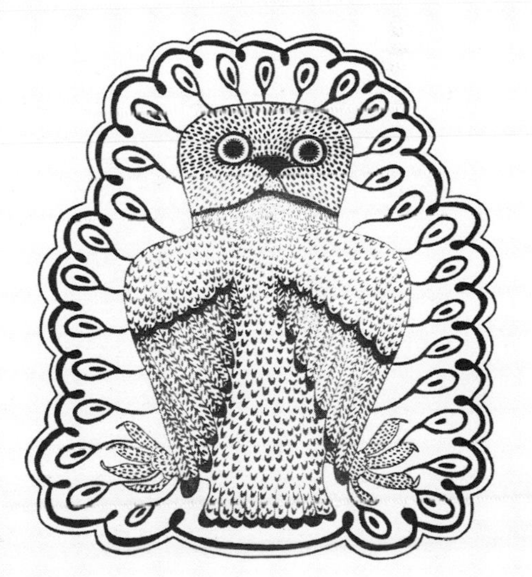

1 Woman in the Sea / Femme à la mer
Eegyvudluk

2 Fisherwoman / Femme pêcheur
Eegyvudluk

3 Woman with Braids / Femme avec des tresses
Eegyvudluk

4 The Happy Fisherman / Le joyeux pêcheur
Eegyvudluk

5 Oppiqutiga
Eegyvudluk

6

6 Fish and Birds / Poisson et oiseaux
Eliyakota

7 Okpiklu, Kanayoulu
Eliyakota

Eliyakota

I was born in the spring in Saqba; I am 37 years old. When I was young, I was often hungry because the food was scarce. My father was Sakkiasie; my mother is Keeleemeomee. I have one child.

I took my drawings to Mr. Houston at the Co-op. Sometimes my sister-in-law took them there for me. Drawings are hard to do and they seem good for nothing. Only certain kinds of birds and fish are easy to draw. I drew with dark pencils, when Jim Houston was here. The drawings became very messy. Nowadays there are very good pencils to use. They are very good to draw with. Early on, the dark pencils made the drawings dirty as I drew them. For a long time I did not draw – now, I have started again.

Je suis née à Saqba un jour de printemps; j'ai aujourd'hui 37 ans. Enfant, j'ai souvent souffert de la faim car la nourriture était rare. Mon père s'appelait Sakkiasie, ma mère se nomme Keeleemeomee. J'ai un enfant.

J'apportais mes dessins à Monsieur Houston de la Coopérative. Parfois, ma belle-soeur y allait pour moi. Les dessins sont difficiles à faire et ils ne semblent pas servir à grand-chose. Certaines sortes d'oiseaux et de poissons sont plus faciles à exécuter. Quand James Houston était là, je me servais de crayons noirs. Les dessins se salissaient très vite. Mais aujourd'hui, les crayons sont bien meilleurs pour dessiner. Auparavant, les crayons noirs barbouillaient ma feuille au fur et à mesure que je travaillais. Je n'ai pas fait de dessins pendant très longtemps mais maintenant, j'ai recommencé.

8

9

Jamasie

I have been told that I was born near Lake Harbour. I think I am 67; it is written that way. I was born to a hunting life. My youth was happy and I was never hungry. My father was Teevee; my mother was Aninik. I have four children of my own and a fifth that is adopted.

I started drawing around 1962-1963. I began to carve in 1959. I am only guessing; I cannot remember exactly when. I sold my first carvings to James Houston and my first drawings to Terry Ryan. In the beginning there was no Co-op store – just the Hudson's Bay Company.

Drawing is very hard for me. It was especially hard in the beginning. I took the paper and laid it down without an idea about what to do. For a long time it did not even look like paper. Sometimes I cannot start and many times I have given up. I draw the various animals. I draw: caribou, seal, square flipper seal, walrus, whale, harp seal, birds. I also draw: tents, boats, kayaks, men on boats, men with equipments. As well, I draw fish weirs, caches, dried meat, kayak stands, dog teams, komatiks, dogs, ropes, komatik stands, and kayak skins.

8 Ivik, Opiklu
Jamasie

9 Men of Kangiak / Hommes de Kangiak
Jamasie

10 Ookpikga
Jamasie

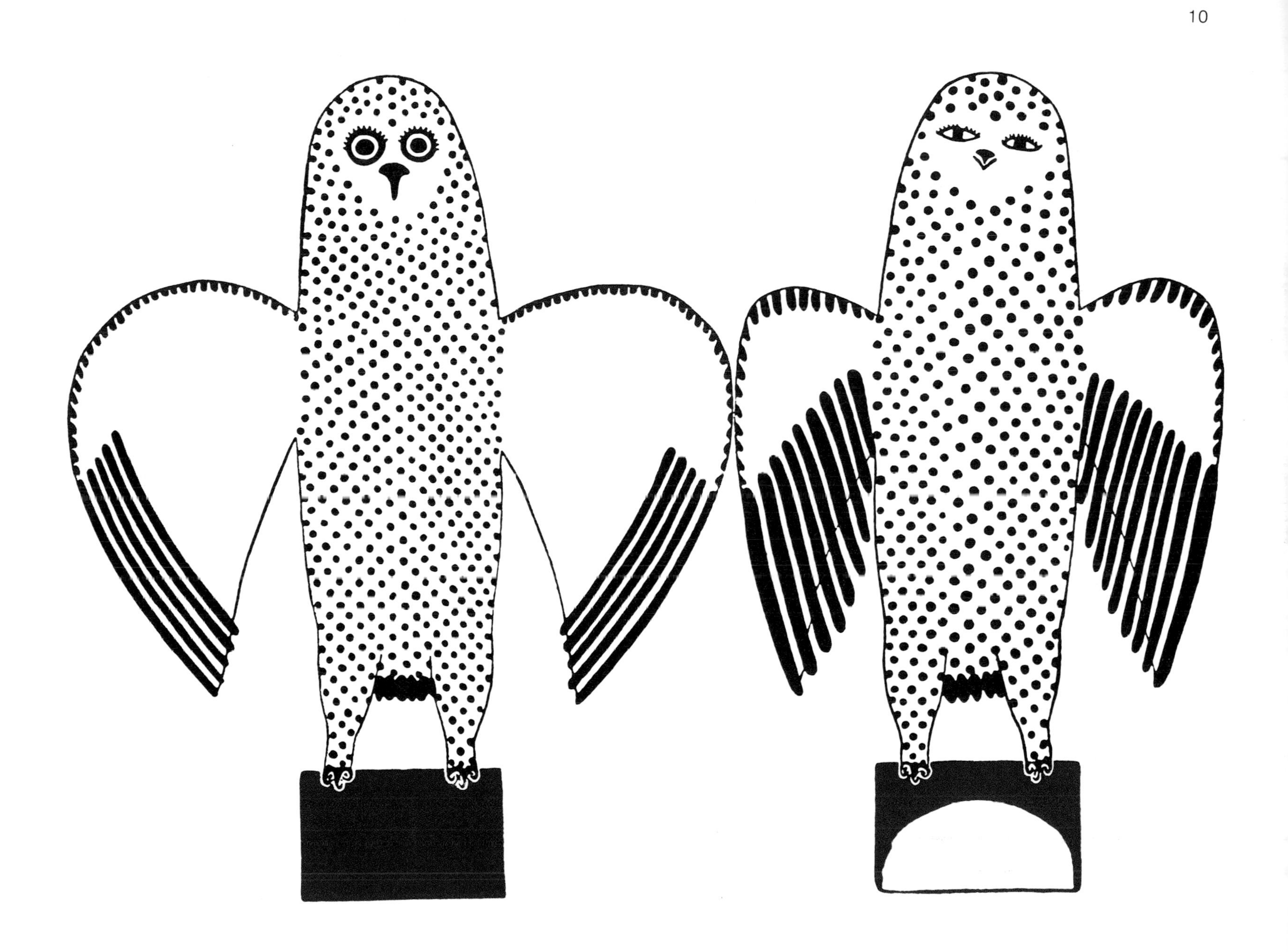

11

Sometimes I cannot think of anything to draw. Occasionally I carve. If the stone is hard I do badly because I am not much of a carver. I want to do well with both, but I have given up many times. I am not at all lazy. Both drawing and carving are very hard for me because I really do not know how to do either. I appreciate being paid very much.

On m'a dit que je suis né près du Lac Harbour. Je pense que j'ai 67 ans, du moins c'est ce qui est écrit. J'ai passé ma vie à chasser. J'ai eu une jeunesse heureuse, je n'ai jamais souffert de la faim. Mon père s'appelait Teevee et ma mère Aninik. J'ai quatre enfants à moi plus un que j'ai adopté.

J'ai commencé à dessiner, je pense, vers 1962-1963 et à sculpter vers 1959. Je ne me souviens plus très bien. J'ai vendu mes premières sculptures à James Houston et mes premiers dessins à Terry Ryan. Au début, il n'y avait pas de Coopérative, mais seulement la Compagnie de la Baie d'Hudson.

Je trouve très difficile de dessiner, mais ça l'était encore plus au début. Je plaçais une feuille de papier devant moi sans avoir la moindre idée de ce que j'allais faire. Il m'arrivait de rester très

12

11 Proud Mother with Son's Catch / Mère fière de la prise de son fils
Jamasie

12 Thoughts of My Youth / Souvenirs de ma jeunesse
Jamasie

13

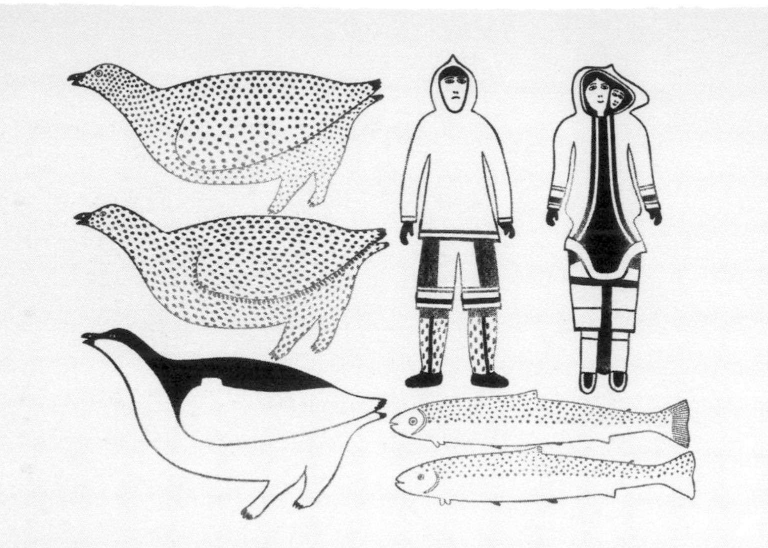

14

longtemps devant sans esquisser un geste. Il m'était parfois impossible de commencer et j'ai dû abandonner à plusieurs reprises. Je dessine plusieurs animaux: caribou, phoque, phoque à ventre blanc, morse, baleine, phoque barbu, oiseau. Et aussi des tentes, bateaux, kayaks, des hommes sur les bateaux, des hommes avec leur appareillage. Ou encore des cages à poissons, des caches de vivres, de la viande séchée, des porte-kayaks, des attelages de chiens, des komatiks, des chiens, des cordes, des porte-komatiks et des peaux de kayak. Il m'arrive parfois de ne rien trouver à dessiner. Je sculpte de temps en temps. Si la pierre est trop dure, je réussis moins bien parce que je ne suis pas un vrai sculpteur. J'aimerais pouvoir faire de belles choses dans les deux mais j'ai abandonné plusieurs fois. Je ne suis pas paresseux. Le dessin et la sculpture sont très difficiles pour moi car je ne sais pas vraiment comment faire. J'apprécie être bien payé.

13 Summer Thoughts/Souvenirs d'été
Jamasie

14 Ahigiit
Jamasie

15

16

17

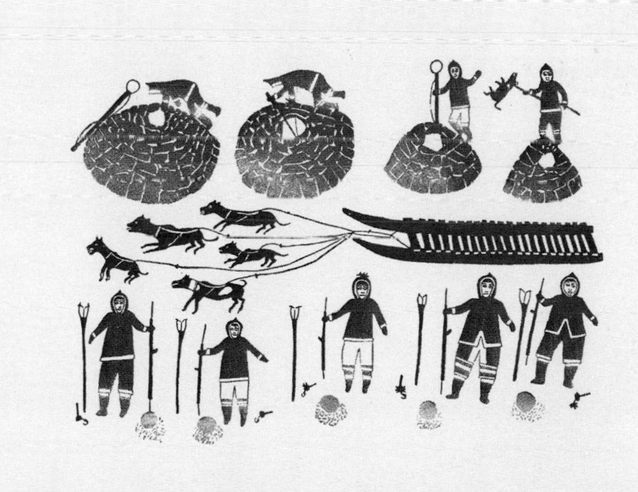

15 Chasing Moulting Geese / Chasse des oies en mue
Jamasie

16 Hunters on Spring Ice / Chasseurs sur la glace du printemps
Jamasie

17 Qrqgiiriaq Alluaq
Jamasie

18

Kakulu

I am 37 years old. I was born in 1940, but I cannot remember the date. My father was Toonilee; my mother is Ikayukta. I have four children.

I started to draw in 1961. I draw anything that I can think of.

J'ai 37 ans. Je suis née en 1940 mais je ne me rappelle plus à quelle date. Le nom de mon père était Toonilee, celui de ma mère est Ikayukta. J'ai quatre enfants.

J'ai commencé à dessiner en 1961. Je dessine tout ce qui me passe par la tête.

18 My Dreams / Mes rêves
Kakulu

Kananginak

Kananginak was born in 1935 at a camp near Cape Dorset, the ninth child of Pootoogook and Ningeeookoloo.

He was one of the earliest at Cape Dorset to begin drawing, and today his work is much in demand. He is a past president of the West Baffin Eskimo Cooperative, and is very active in the Cape Dorset Community Council.

This year, Kananginak has written brief notes to accompany his lithographs of arctic birds.

Kananginak, le neuvième enfant de Pootoogook et de Ningeeookoloo, est né en 1935 dans un camp près du Cap Dorset.

Il fut l'un des tout premiers au Cap Dorset à s'adonner au dessin, et aujourd'hui ses oeuvres sont très recherchées. Kananginak est un ancien président de la Coopérative esquimaude de West Baffin et est très actif au sein du Conseil communautaire du Cap Dorset.

Cette année, Kananginak a écrit les brefs commentaires qui accompagnent ses lithographies d'oiseaux de l'Arctique.

19

19 Young Arctic Owl / Jeune hibou de l'Arctique
Kananginak

20

Seagulls come to the Arctic in the spring before they lay their eggs. They hunt for food while flying over the ocean, but when the ducks arrive and gather food, the Naujaq will often steal it. When the weather is warm enough, the seagull makes a nest in the high rocky cliffs. The baby stays in the Arctic all winter, flying south when it becomes fat and strong.

Le goéland émigre vers l'Arctique au printemps, avant la saison de la ponte. Il chasse sa nourriture en survolant l'océan. Toutefois, quand les canards arrivent, il ne se gêne pas pour s'emparer de leur nourriture. Dès que la température se fait plus chaude, le Naujaq construit son nid dans les hautes falaises rocheuses. Les petits goélands séjournent en Arctique durant tout l'hiver, et quand ils sont assez gros et forts, ils s'envolent vers le sud.

20 Naujaq
Kananginak

21 Isunga
Kananginak

21

These birds sometimes pass through the north, but do not lay their eggs here. They are very rare, and are sometimes dangerous.

Ces oiseaux traversent parfois les régions nordiques sans toutefois y déposer leurs oeufs. Ils sont très peu répandus et ils peuvent être dangereux.

22

Pitsiulaq come to the north to lay their eggs, which can be found on bare stone surfaces under large rocks. They are the last of the birds to arrive in the spring, and often stay until the following spring.

Le Pitsiulaq émigre vers l'Arctique à la saison de la ponte. Il dépose ses oeufs sur la pierre nue audessous des gros rochers. Il est le dernier oiseau du printemps et souvent, il ne repart pas avant le printemps suivant.

22 Pitsiulaq
Kananginak

23

24

23 Tulugaq
Kananginak

The raven never leaves the north – not even in winter. He stores food under the snow to use through the long winter months. Often they store duck eggs in this way, but the raven never forgets where to locate the food.

Le corbeau ne quitte jamais la région polaire, pas même en hiver. Il emmagasine sa nourriture sous la neige en prévision des longs mois d'hiver. Souvent, il enfouit ainsi des oeufs de canard. Le corbeau n'oublie jamais où il a caché ses vivres.

24 Akpait
Kananginak

Before nesting time, the Akpait comes to Cape Dorset to feed. When it is time to nest, they go away once again.

Le Akpait vient se nourrir au Cap Dorset avant la saison de la ponte. Quand vient le temps de la reproduction, il s'envole vers d'autres contrées.

25 Sitgarriat
Kananginak

The Sitgarriat lay their eggs in the Cape Dorset area. In days gone by, young boys practised hunting by chasing these small birds.

Le Sitgarriat vient déposer ses oeufs dans la région du Cap Dorset. Autrefois, les jeunes garçons faisaient leur apprentissage en chassant ces petits oiseaux.

26

27

26 Imiqutailaq
Kananginak

These birds come to our land to find a good place to lay their eggs. They fight with their beaks, which are strong enough to kill other birds.

Ces oiseaux viennent dans nos régions à la recherche d'un endroit pour couver leurs oeufs. Ils se battent souvent. Leur bec est très puissant et ils peuvent tuer d'autres oiseaux.

Geese come in great numbers to the north, after flying long distances, to lay their eggs on flat mossy land. They fly so far to get to our land that they must stay until September to become strong enough for the return trip southwards.

Les oies parcourent de très grandes distances pour se rendre dans le nord où elles viennent en très grand nombre. Elles déposent leurs oeufs sur un terrain plat moussu. Elles volent pendant si longtemps pour arriver à nos régions, qu'il leur faut jusqu'à septembre pour refaire leurs forces et entreprendre le long voyage de retour vers le sud.

27 Nirlik
Kananginak

28 Oopik
Kananginak

Owls live in the Arctic. They hunt lemmings, ptarmigans, and rabbit (or hare). There is a story of how the owl was once hunted by men without guns: the owl can twist his neck to see a man from behind or from the front, but two people, working together, can catch the owl off-guard if one approaches from the rear allowing the other person to grab the bird from the front.

Les hiboux vivent en Arctique. Ils chassent le lemming, le lagopède et le lièvre. On raconte souvent l'histoire des deux hommes qui réussirent à s'emparer du hibou sans l'aide de fusils: la tête du hibou pivote sur son cou, il peut donc voir venir l'homme de tous les côtés. Mais lorsque deux chasseurs s'associent, le premier peut détourner l'attention de l'oiseau en l'approchant par derrière tandis que l'autre l'attrape par surprise par devant.

28

29

Many small ducks come to the Arctic each spring. They search for shellfish and when they are fat and strong the females lay eggs. The Amaulik arrives late and both male and female take turns caring for the eggs and looking for food.

Chaque printemps amène en Arctique plusieurs petits canards. Ils se nourrissent de coquillages. Lorsqu'ils deviennent gros et forts, les femelles pondent leurs oeufs. L'Amaulik arrive tard dans la saison et à tour de rôle, le mâle et la femelle couvent les oeufs et vont chercher de la nourriture.

29 Amaulik
Kananginak

30

Keeleemeomee

I was born in Qingu, on November 12, 1916. I started remembering when we were living at Amaqjuaq. Our clothing was made from caribou hides gotten from my father's hunting. Remembering back, it seems that it has been very hard. My father hunted all through the cold winter and his dogs were hardly fed. He did not walk far when hunting. He always used his dogs.

My father was Kingwatsiak; my mother was Qadluittuq. I have seven children of my own and two are adopted.

I cannot remember when I started drawing or when I started carving. When I first started the drawing, I did not really know how. I would start a sketch and stop halfway through to smoke. Nowadays, even though I hardly know what to draw, I can make it all the way through. Besides, I am afraid to let the papers sit. I think these drawings that are so hard to do are very poorly paid. I simply draw anything: sometimes birds and sometimes people.

30 Eelukitaq
Keeleemeomee

31 A Vision of Spirit Children / Une vision de l'esprit des enfants
Keeleemeomee

32

Je suis née à Qingu, le 12 novembre 1916. Mes souvenirs remontent à l'époque où nous vivions à Amaqjuaq. Nos vêtements étaient fabriqués dans la peau des caribous que mon père tuait à la chasse. En autant que je me le rappelle, notre vie était difficile. Mon père chassait pendant tout l'hiver dans le froid glacial et ses chiens étaient à peine nourris. Il ne marchait jamais très loin en chassant, il se servait toujours de ses chiens.

Mon père s'appelait Kingwatsiak et ma mère Qadluittuq. J'ai sept enfants à moi et deux autres que j'ai adoptés.

Je ne me souviens pas quand j'ai commencé à dessiner ou à sculpter. Au début, je ne savais pas trop comment m'y prendre. J'esquissais quelques sujets et je m'arrêtais avant d'avoir terminé pour fumer. Aujourd'hui, même si je ne sais pas toujours quoi représenter, je termine tous mes dessins. J'ai peur de laisser mon travail de côté. D'après moi, ces dessins sont très difficiles à exécuter et ils sont très peu payés. Je dessine toutes sortes de choses, parfois des oiseaux, parfois des gens.

33

32 A Parade of Birds / Une parade d'oiseaux
Keeleemeomee

33 Natsiit Pitseolaqlu
Keeleemeomee

Kenojuak

I was born in Ekigasak. I am forty-six years old. My father's name was Oshoajuk; my mother's name is Silaqi. I have six children.

I made my first drawing when James Houston was here in Cape Dorset. When I first started drawing, I sold my work to James Houston and he gave me a pay-cheque that I would cash at the Hudson's Bay Company. At that time, the Co-op store did not exist.

I have been drawing from my mind since I started. I started because I was asked to. I did not give it much thought at the time. I was afraid to begin the first drawings because I had no idea in mind. It is often hard to draw and it is very hard to draw while you have to think. Besides the difficulty, the pay is very low. It is difficult to be willing today.

34 Owls and Foliage / Hiboux et feuillage
Kenojuak

Maybe other people are willing to draw. When James Houston was here, I sold my drawings and carvings to him. I cashed the cheques I got at the Hudson's Bay Company because the Co-op store was not built at the time. Now, Inuit are hired to buy drawings and the payments are low. I remember clearly that the drawings were once well paid for. When I am away from here, if I am asked, I tell them that you know this. Many people draw just to make money for others and not themselves. I know this because I have often been told. I keep it to myself all of the time. I, Kenojuak Ashevak am now finished.

Je suis né à Ekigasak et j'ai quarante-six ans. Mon père s'appelait Oshoajuk et ma mère se nomme Silaqi. J'ai six enfants.

J'ai exécuté mon premier dessin quand James Houston était ici à Cap Dorset. Au début, c'est à lui que je vendais mes pièces. Il me remettait un chèque que j'encaissais à la Compagnie de la Baie d'Hudson. A cette époque, la Coopérative n'existait pas encore.

J'ai toujours puisé mes dessins dans ma tête. J'ai commencé parce qu'on me l'a demandé. Au début, je ne me forçais pas beaucoup. J'avais peur de commencer mes premiers dessins car il ne me venait aucune idée. Il est très difficile de dessiner et encore plus lorsque vous devez penser. Et, en plus, on est très peu payé. Aujourd'hui, il n'y a plus tellement de motivation. Peut-être, y en a-t-il qui dessinent malgré tout. Quand James Houston était ici, je lui vendais mes dessins et mes sculptures. J'encaissais mes chèques à la Compagnie de la Baie d'Hudson parce que la Coopérative n'était pas encore construite à cette époque. Maintenant, on engage des Inuits pour acheter les dessins et les prix sont très bas. Je me souviens d'une certaine période où les dessins étaient très bien payés. Quand je suis loin d'ici et qu'on me le demande, je leur dis que vous savez tout ceci. Certaines personnes dessinent seulement pour enrichir les autres. Je le sais parce qu'on me l'a dit souvent; je le garde pour moi. Mais moi, Kenojuak Ashevak, j'ai maintenant terminé.

Kudjuakju

I was born near Lake Harbour – when I started to remember there were hardly any white people. My father was Laisa; my mother was Moshi. I have five children – two of them are adopted.

I started drawing when James Houston was here. I sold my drawings to James Houston only, in the beginning. I usually draw people with caribou clothing and animals. The reason I draw is that I do not want my children to be hungry. Money is hard to get and it is difficult to carve and I have stopped. The things in the stores are very expensive because it is not easy for the stores to get things as well. That is all I can say.

Je suis née au Lac Harbour. A l'époque où remontent mes souvenirs, il n'y avait presque pas d'hommes blancs. Mon père s'appelait Laisa et ma mère Moshi. J'ai cinq enfants dont deux que j'ai adoptés.

J'ai commencé à dessiner quand James Houston était ici. Au début, je ne vendais mes dessins qu'à lui seul. Je dessine surtout des gens avec des vêtements en peaux de caribou et aussi des animaux. Je dessine parce que je ne veux pas que mes enfants aient faim. L'argent ne s'obtient pas facilement. Il est difficile de sculpter et j'ai arrêté. Les choses dans les magasins sont très chères parce que les magasins ne peuvent pas les obtenir facilement. C'est tout ce que je peux dire.

35 Sky Spirit/Esprit du ciel
Kudjuakju

36

37

Lucy

I am 62 years old, and was born in Sugluk. It was okay – I was well fed.

My father was Taqulik; my mother was Sana. I have four children of my own and two I have adopted.

I first sold my drawings to the Co-op in 1962. I do not know how to draw anymore.

Je suis née à Sugluk et j'ai maintenant 62 ans. J'ai été heureuse; j'étais nourrie à ma faim.

Mon père s'appelait Taqulik, ma mère Sana. J'ai quatre enfants à moi et j'en ai adopté deux.

J'ai commencé à vendre mes dessins à la Coopérative en 1962. Aujourd'hui, je ne me rappelle plus comment dessiner.

36 Launching the Umiak/Le lancement du Umiak
Lucy

37 Yellow Bird/Oiseau jaune
Lucy

38 Tulukara
Lucy

38

39

40

Napachie

I was born in Sargok near Cape Dorset. I am 39 years old. I started remembering only after my father had died. We lived not far from Cape Dorset. At that time I started seeing people from Cape Dorset I had never seen before.

My first drawing was made in 1960 when James Houston was here. I got twenty dollars from him and it was the first money I had earned. I do not get ideas for my drawing instantly. When I am finally able to think of something, I begin to draw. Sometimes, as I draw, I wish that I could be getting a bit of extra pay. These are my wishes. The pay is sometimes high and sometimes low because the same person does not always do the buying.

Je suis née à Sargok près du Cap Dorset. J'ai 39 ans. Mes souvenirs ne remontent qu'après la mort de mon père. Nous ne vivions pas très loin du Cap Dorset. A cette époque, j'ai commencé à rencontrer des gens du Cap Dorset, des gens que je n'avais jamais vus auparavant.

Mon premier dessin remonte à 1960. James Houston était ici. Il m'en a donné vingt dollars, c'était la première fois que je gagnais de l'argent. Les idées ne me viennent pas immédiatement. Quand je parviens à penser à quelque chose, je le dessine aussitôt. Parfois en travaillant, je me dis que j'aimerais bien gagner un peu plus d'argent. Mais c'est tout. Le prix est parfois élevé, parfois beaucoup moins parce que ce n'est pas toujours la même personne qui achète.

Ningeeuga

I was born in Qamajuk. I am 58 years old. When I began to remember, I remember dog teams. My father was Adla; my mother is Anirnik. I have three children and one adopted.

I started drawing around 1965, and first sold my drawing to Terry Ryan. I am very thankful to be able to draw because it helps a lot. I usually draw birds, because I always have a difficult time thinking of what to draw. I usually draw the same kind of thing.

Je suis née à Qamajuk et j'ai 58 ans. L'image la plus précise de mes souvenirs de jeunesse est les attelages de chiens. Mon père s'appelait Adla et ma mère se nomme Anirnik. J'ai trois enfants et aussi un autre que j'ai adopté.

J'ai commencé à dessiner vers 1965 et je vendais alors mes dessins à Terry Ryan. Je suis très heureuse de pouvoir dessiner parce que cela m'aide beaucoup. Je dessine surtout des oiseaux; j'ai de la difficulté à trouver des sujets et en général, je fais pas mal toujours les mêmes choses.

41

42

39 Our Summer Tent/Notre tente d'été
Napachie

40 Mother and Child with Fish/Mère et enfant avec un poisson
Napachie

41 Five Faces/Cinq visages
Ningeeuga

42 Our Snow House/Notre maison de neige
Ningeeuga

43

Pitaloosie

I was born in Cape Dorset in 1942. I am 34 years old. Times were good. My father's name is Sam Pudlat; my mother's name was Qataugak Mingireak. I have four children of my own and one that I have adopted.

I started drawing around 1962 and 1963 and sold my drawings to James Houston. When I first started drawing, I could not think of anything. All that was in my mind was getting a little money for my children and being a little help to my husband. In those days, drawings and carvings were poorly paid. At that time, my drawings were not liked – I did not even like them.

Later, they were printed here and sent away to the south to be shown. I became recognized although I had no idea what was happening to the work in the south. I did not understand (even though I could speak English) for a long time. Beyond my knowledge my drawings were shown around the world and became accepted as special. There was a demand for my drawings before now.

Je suis née au Cap Dorset en 1942. J'ai donc 34 ans. Ma jeunesse fut heureuse. Mon père se nomme Sam Pudlat et ma mère s'appelait Qataugak Mingireak. J'ai cinq enfants dont un que j'ai adopté.

J'ai commencé à dessiner vers 1962 et 1963. Je vendais alors mes dessins à James Houston. Au début, je ne pensais à rien de spécial; tout ce que je voulais, c'était gagner un peu d'argent pour mes enfants et aider un peu mon mari. A cette époque, les dessins et sculptures étaient peu payés. On n'appréciait pas tellement mes dessins, à ce moment-là. D'ailleurs, je ne les aimais pas moi-même.

Plus tard, ils furent imprimés ici et expédiés vers le sud pour être montrés. Mon nom fut connu même si j'ignorais ce qui advenait de mes pièces là-bas, dans le sud. Je ne comprenais pas (même si je parle anglais). Sans que je sache comment et pourquoi, mes dessins firent le tour du monde. Ils étaient considérés comme uniques. Avant aujourd'hui, il y avait une demande pour mes dessins.

44

43 Wolf Spirits / Les esprits-loups
Ningeeuga

44 Amautoatuq
Pitaloosie

45

Pitseolak

I was born on Nottingham Island. I cannot remember my age; I am now old. My father's name was Ottoqi; my mother's name was Timangia. I have four children: Namonai, Kiugah, Qaqqa, and Napachie. Two of my sons were adopted by others, Mikigak and Ishuqagituk.

I first started to draw when James Houston was here. I generally have an idea about what I am drawing. Sometimes I just begin to sketch and the idea develops. Many of my drawings tell true stories, and I often draw men and women. I have very poor eyesight now.

Je suis née à l'Ile de Nottingham. Je ne me rappelle pas mon âge mais je suis vieille. Mon père s'appelait Ottoqi, ma mère Timangia. J'ai quatre enfants: Namonai, Kiugah, Qappa et Napachie. Deux de mes enfants, Mikigak et Ishuqagituk, furent adoptés par d'autres.

J'ai commencé à dessiner alors que James Houston était encore ici. En général, quand je dessine, je sais ce que je veux représenter. Je commence l'esquisse et l'image se précise. Plusieurs de mes dessins relatent des histoires véridiques et on y retrouve souvent des hommes et des femmes. Mais maintenant, ma vue est trop faible.

45 The Arctic Owl / Le hibou de l'Arctique
Pitaloosie

46

47

48

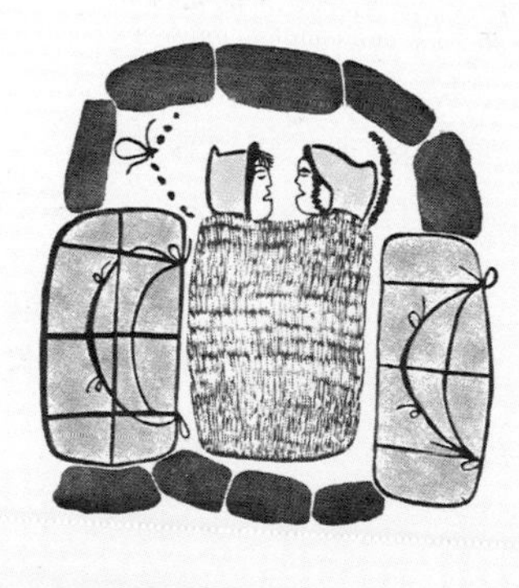

46 Kaujagjuk Nanuqlu
Pitseolak

47 New Birds / Nouveaux oiseaux
Pitseolak

48 Asleep in a Windbreak / Repos dans un abri
Pitseolak

49

50

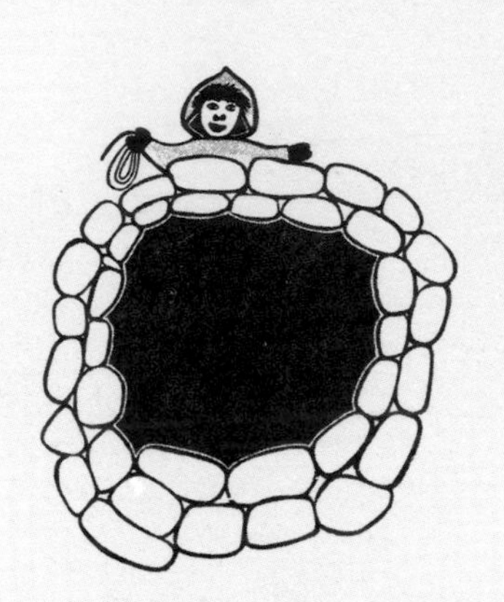

49 Kaujagjuk
Pitseolak

50 Overnight Camp / Campement pour la nuit
Pitseolak

51 Tuktura
Pitseolak

51

52 Young Bears / Jeunes ours
Pitseolak

53

Pudlo

I was born near Qamajuit on February 4, 1916. I am 61 years old. I started remembering when there were white men at the Hudson's Bay Company. My father's name was Pudlat; my mother's name was Quppa. I have four children: Quppa, Alareak, Kanayuk, and Pitseotuk.

I started drawing and carving when James Houston was here. I first sold my drawings and carvings to him. He gave me a note to cash at the Hudson's Bay Company. I bought what I needed from the Bay which was the only store at that time.

Long ago James Houston asked me to start drawing. I started with pencils on various kinds of paper. James Houston liked my drawings and he made me feel welcome. (At this time I was selling my carvings to the Hudson's Bay Company.) When Terry Ryan took his place my drawing pencils changed to various kinds. My drawing kit is different again and I use a different paper, but also the same kind. There are many kinds of pencils. Often, I draw on stones with a different kind of pencil. We are drawing for the world and we draw those things that white people might want to buy. I want to do better but I can only do my best and no better. Often it is hard to think of something to draw.

Je suis né près de Qamajuit, le 4 février 1916. Je suis âgé de 61 ans. D'aussi loin que remontent mes souvenirs, il y avait déjà des hommes blancs à la Compagnie de la Baie d'Hudson. Mon père s'appelait Pudlat et ma mère Quppa. J'ai quatre enfants: Quppa, Alareak, Kanayuk et Pitseotuk.

James Houston était ici quand j'ai commencé à dessiner et à sculpter. C'est à lui que je vendais mes pièces au début. Il me donnait un billet que j'encaissais à la Compagnie de la Baie d'Hudson. J'achetais ce dont j'avais besoin à la Compagnie puisque c'était le seul magasin à cette époque.

Il y a très longtemps, James Houston me demanda de faire des dessins. J'ai commencé avec des crayons et plusieurs sortes de papiers. James Houston aimait ce que je faisais et il était toujours très gentil avec moi. (A cette époque, je vendais mes sculptures à la Compagnie de la Baie d'Hudson.) Lorsque Terry Ryan le remplaça, je changeai de sortes de crayons. Aujourd'hui, mon matériel de dessin est encore différent et le papier aussi, bien que j'emploie parfois encore le même. Il y a plusieurs crayons et quand je dessine sur la pierre, je prends un crayon spécial. Nos pièces vont dans le monde et nous exécutons des dessins qui peuvent plaire aux blancs. J'aimerais faire mieux mais je ne peux faire que ce que je peux. Il est souvent difficile de penser à un sujet.

53 Spring Landscape/Paysage du printemps
Pudlo

54 Timiat Anuraktut
Soroseelutu

55

56

57

58

55 Qangattaujaqtuq
Soroseelutu

56 Handstand / Marche sur les mains
Soroseelutu

57 Sealskin Tent / Tente en peau de phoque
Soroseelutu

58 Walrus Hunter / Chasseur de morses
Soroseelutu

Soroseelutu

I was born near Cape Dorset in 1941. I am 36 years old. My youth was boring because I had no mother and my father was in hospital in the south. He was away for a long time and I was growing up while he was away. I had a father, but no mother to make a home. I expected my father every year. Finally, I was told that he had died, but I did not believe it. I continued to expect him. I would look for him whenever the plane or the ship came.

I have six children – two more are adopted. I was an adopted child. I understand that my parents are alive and living in Lake Harbour: Ikidluak and Martha.

I usually draw men, women, and children. When I first drew I generally drew birds.

Je suis née près du Cap Dorset en 1941. J'ai aujourd'hui 36 ans. Mon enfance fut assez triste car j'avais perdu ma mère et mon père était dans un hôpital dans le sud. Il fut parti très très longtemps. J'avais un père, mais pas de mère pour former une famille. J'espérais le retour de mon père chaque année. Finalement, on m'annonça qu'il était mort mais je refusai de le croire. Je continuais à l'attendre. Je me précipitais à chaque fois qu'un avion ou un bateau arrivait dans l'espoir de le voir descendre.

J'ai six enfants et deux autres que j'ai adoptés. J'étais moi-même une enfant adoptée. Mes parents, Ikidluak et Martha sont vivants et ils habitent au Lac Harbour.

Je dessine plus souvent des hommes, des femmes et des enfants. Au début, je faisais surtout des oiseaux.

Tukiki

I was born near Sugluk, but I do not know what my age is. My father was Taqulik; my mother was Sana Mary. I have four children living and seven have died.

I started drawing in 1975 and sold my first drawing to Terry Ryan. I usually draw people.

Je suis née aux environs de Sugluk mais j'ignore mon âge. Mon père se nommait Taqulik et ma mère Sana Mary. J'ai eu onze enfants dont quatre sont encore vivants.

J'ai commencé à dessiner en 1975 et j'ai vendu mes premiers dessins à Terry Ryan. Mes sujets preférés sont les gens.

59 Home After the Hunt/La rentrée de la chasse
Tukiki

60

60 Family Camping / Campement familial
Ulayu

Ulayu

Ulayu, born in a campsite on south Baffin Island in 1904, remembers living in sealskin tents and igloos in those days. Echalook, her father, died when Ulayu was a baby, and her adoptive parents were Jayko and Kitty. She has had six children, two of whom died.

She began to draw in the early 1960s, and feels that her work has improved with time. Nowadays, however, failing health and poor eyesight have severely limited the time she spends in drawing.

Ulayu est née en 1904 dans un campement situé au sud de l'île de Baffin. Elle garde encore le souvenir de sa vie dans les igloos et dans les tentes en peaux de phoque. Après le décès de son père Echalook, alors qu'elle n'était encore qu'un bébé, elle fut adoptée par Jayko et Kitty. Ulayu a eu six enfants dont quatre sont encore vivants.

Elle a commencé à dessiner au début des années soixante et elle nous dit avoir accompli d'énormes progrès depuis. Toutefois, aujourd'hui, sa vue vacillante et son pauvre état de santé l'obligent à ralentir considérablement sa production artistique.

61

61 Ingniqpik
Ulayu

62 Woman Sewing Kamiks / Femme cousant des Kamiks
Ulayu

63

64

63 Summer Campers/Campeurs d'été
Ulayu

64 Inside our Tupik/Dans notre Tupik
Ulayu

The second Dorset collection of prints, released in the Spring of 1977 and dedicated solely to lithography, displays with startling impact the strides made by Inuit artists of this community in the use of the lithographic medium.

Mastery of the technique has expanded their talent, and enjoyment of it is evident in the purity of colour and brilliance of line of each work. The immediacy of the hand of the artist on the lithographic stone springs from the surface.

The technique allows a freedom of design, a total commitment to the statement each artist makes about his work, his life, and the evident well being of art in the high Arctic today.

La seconde collection de gravures de Cap Dorset exposée pour la première fois au printemps 1977 est uniquement consacrée à la lithographie. On peut y constater les progrès étonnants qu'ont accomplis les artistes Inuit de cette communauté dans la maîtrise de cette technique de reproduction.

Maintenant en possession de cette habileté technique, les artistes peuvent donner libre cours à leur talent. La pureté des lignes et l'éclat de la couleur que l'on retrouve dans chaque pièce reflètent cette liberté de création. La spontanéité de l'artiste éclate sur la surface de la plaque lithographique.

Ayant réussi à mettre la technique au service de son esprit créateur, l'artiste peut exprimer sans contrainte sa vie et son oeuvre, et participer pleinement à l'éclosion de cet art qui fleurit dans les régions lointaines de l'Arctique.

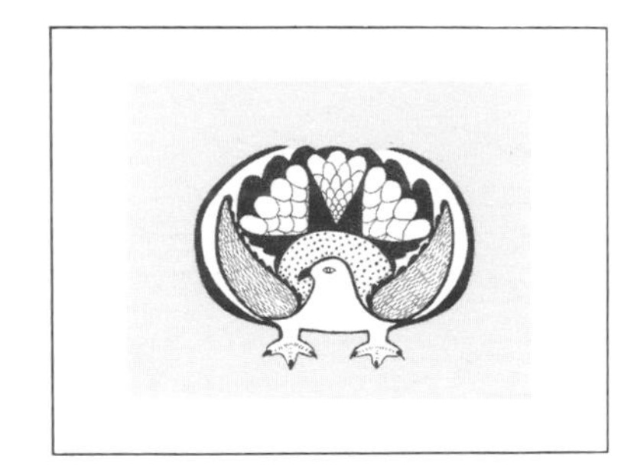

Eliyakota
Naujak/Seagull/Mouette
12½″ x 17″, Edition 40

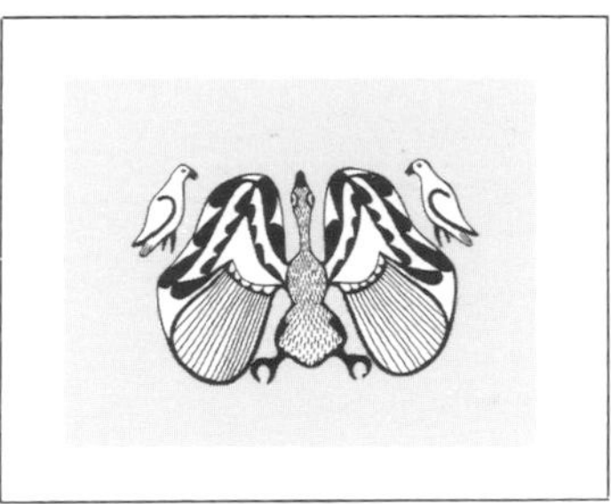

Eliyakota
Taqalikitaq with Timiat/Butterfly with Birds/ Papillon et oiseaux
12½″ x 17″, Edition 40

Kananginak
Canada Geese Mating/ Les amours des oies du Canada
9″ x 12″, Edition 40

Kananginak
Birds Quarreling/Querelle d'oiseaux
15″ x 18½″, Edition 60

Kananginak
Tuttu/Caribou
15″ x 18½″, Edition 50

Kananginak
Omimmuk/Musk ox/Boeuf musqué
17½″ x 23″, Edition 50

Kananginak
Summer and Winter/L'été, l'hiver
17½″ x 23″, Edition 50

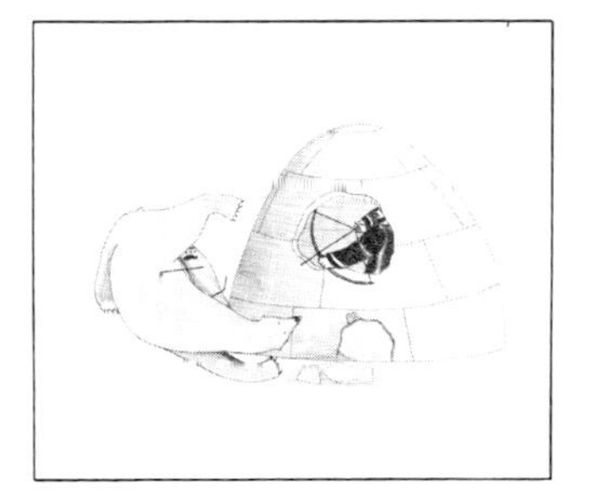

Kananginak
Attacking Bear/Un ours à l'attaque
10¾″ x 12¾″, Edition 50

Kananginak
Mother and Cubs/Une mère et ses oursons
15″ x 18½″, Edition 50

Kananginak
Hunter's Camp/Campement de chasseurs
17½" x 23", Edition 50

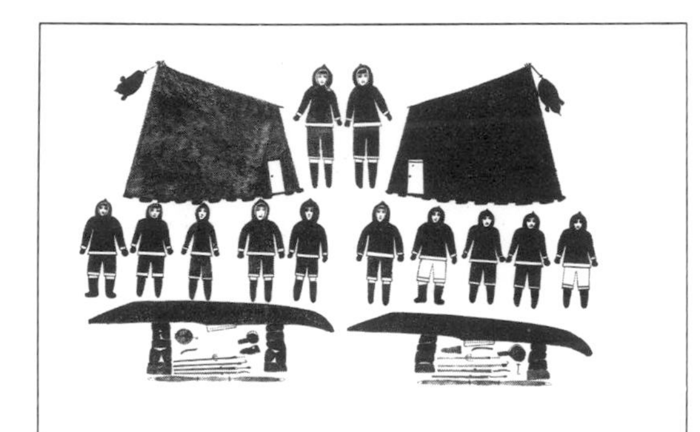

Jamasie
Kayak-Men/Hommes et kayaks
26" x 40", Edition 30

Jamasie
Fish Weir/Piège à poissons
26" x 40", Edition 30

Lucy
Women making Kayak/
Femmes fabricant un kayak
24½" x 19", Edition 50

Lucy
Opiit/Group of Owls/Groupe d'hiboux
20″ x 26¾″, Edition 50

Lucy
Katajuk/Throat Singing/Chant guttural
25¾″ x 20″, Edition 50

Lucy
Nanuraq/Bear Skin/Peau d'ours
25¾″ x 20″, Edition 50

Napachie
Caribou in the Hills/Caribou dans les collines
22″ x 30″, Edition 50

Pudlo
Grey Bird/Un oiseau gris
20¹/4" x 25³/4", Edition 50

Pudlo
Women at the Fish Lakes/
Femmes se préparant à la pêche
14³/4" x 18¹/2", Edition 75

Pudlo
Fishing/Pêche
20¹/4" x 25³/4", Edition 50

Pudlo
Landscape with Caribou/Paysage et caribou
22" x 25³/4", Edition 50

Ulayu
Qisik/Seal Skin/Peau de phoque
20″ x 25¾″, Edition 50

Ulayu
Surusiit Pingguatut/Children at Play/ Jeu d'enfants
20″ x 25¾″, Edition 50

Ulayu
Asivaqti/Man Hunting/Chasseur
20″ x 25¾″, Edition 40

Ulaya
Arnaak Agirasimajuuk/Women at Home/ Femmes au foyer
20″ x 25¾″, Edition 50

List of Prints
(Dimensions are given in inches)
Prints are made in limited editions as listed

Liste des gravures
(Les dimensions sont données en pouces)
Le tirage des gravures a été limité au nombre ici mentionné

Eegyvudluk

1
Woman in the Sea/Femme à la mer
Stonecut/Gravure sur pierre
Blue, black, yellow/Bleu, noir, jaune
22 x 28
Edition: 50/Tirage: 50

2
Fisherwoman/Femme pêcheur
Stonecut/Gravure sur pierre
Black, brown/Noir, brun
25 x 34
Edition: 50/Tirage: 50

3
Woman with Braids/Femme avec des tresses
Stonecut/Gravure sur pierre
Black, brown/Noir, brun
25 x 34
Edition: 50/Tirage: 50

4
The Happy Fisherman/Le joyeux pêcheur
Stonecut/Gravure sur pierre
Orange, black/Orange, noir
21½ x 25
Edition: 50/Tirage: 50

5
Oppiqutiga
Stonecut/Gravure sur pierre
Yellow, brown/Jaune, brun
25 x 21
Edition: 50/Tirage: 50

Eliyakota

6
Fish and Birds/Poisson et oiseaux
Stonecut/Gravure sur pierre
Brown, black, yellow/Brun, noir, jaune
25 x 34
Edition: 50/Tirage: 50

7
Okpiklu, Kanayoulu
Stonecut/Gravure sur pierre
Orange, black, green/Orange, noir, vert
25 x 34
Edition: 50/Tirage: 50

Jamasie

8
Ivik, Opiklu
Stonecut/Gravure sur pierre
Brown, purple, black/Brun, violet, noir
25 x 34
Edition: 50/Tirage: 50

9
Men of Kangiak/Hommes de Kangiak
Stonecut/Gravure sur pierre
Orange, black, blue/Orange, noir, bleu
25 x 34
Edition: 50/Tirage: 50

10
Ookpikga
Stonecut/Gravure sur pierre
Purple, red, brown/Violet, rouge, brun
25 x 34
Edition: 50/Tirage: 50

11
Proud Mother with Son's Catch/Mère fière de la prise de son fils
Stonecut/Gravure sur pierre
Green, brown/Vert, brun
25 x 34
Edition: 50/Tirage: 50

12
Thoughts of My Youth/Souvenirs de ma jeunesse
Stonecut/Gravure sur pierre
Yellow, green, brown/Jaune, vert, brun
25 x 34
Edition: 50/Tirage: 50

13
Summer Thoughts/Souvenirs d'été
Stonecut/Gravure sur pierre
Green, orange, brown, black/Vert, orange, brun, noir
25 x 34
Edition: 50/Tirage: 50

14
Ahigiit
Lithograph/Lithographie
Black/Noir
20 x 26
Edition: 50/Tirage: 50

15
Chasing Moulting Geese/Chasse des oies en mue
Stonecut/Gravure sur pierre
Black, green/Noir, vert
25 x 34
Edition: 50/Tirage: 50

16
Hunters on Spring Ice/Chasseurs sur la glace du printemps
Stonecut/Gravure sur pierre
Brown, black/Brun, noir
25 x 34
Edition: 50/Tirage: 50

17
Qrqgiiriaq Alluaq
Stonecut/Gravure sur pierre
Blue, green, black/Bleu, vert, noir
25 x 34
Edition: 50/Tirage: 50

Kakulu

18
My Dreams/Mes rêves
Stonecut/Gravure sur pierre
Yellow, red, brown/Jaune, rouge, brun
25 x 34
Edition: 50/Tirage: 50

Kananginak

19
Young Arctic Owl/Jeune hibou de l'Arctique
Stonecut/Gravure sur pierre
Black, yellow, green/Noir, jaune, vert
25 x 34
Edition: 50/Tirage: 50

20
Naujaq
Lithograph/Lithographie
White, black, red, yellow/Blanc, noir, rouge, jaune
15 x 18¾
Edition: 50/Tirage: 50

21
Isunga
Lithograph/Lithographie
Yellow, brown, black/Jaune, brun, noir
15 x 18¾
Edition: 50/Tirage: 50

22
Pitsiulaq
Lithograph/Lithographie
Green, black, red/Vert, noir, rouge
15 x 18¾
Edition: 50/Tirage: 50

23
Tulugaq
Lithograph/Lithographie
Green, black, brown/Vert, noir, brun
15 x 18¾
Edition: 50/Tirage: 50

24
Akpait
Lithograph/Lithographie
Brown, black/Brun, noir
15 x 17
Edition: 50/Tirage: 50

25
Sitgarriat
Lithograph/Lithographie
Grey, black, green, red/Gris, noir, vert, rouge
15 x 18¾
Edition: 50/Tirage: 50

26
Imiqutailaq
Lithograph/Lithographie
Brown, yellow, black/Brun, jaune, noir
15 x 18¾
Edition: 50/Tirage: 50

27
Nirlik
Lithograph/Lithographie
Brown, black/Brun, noir
17 x 23
Edition: 50/Tirage: 50

28
Oopik
Lithograph/Lithographie
Black, yellow/Noir, jaune
15 x 18½
Edition: 50/Tirage: 50

29
Amaulik
Lithograph/Lithographie
Brown, yellow, green, orange, grey, black/Brun, jaune, vert, orange, gris, noir
15 x 17
Edition: 50/Tirage: 50

Keeleemeomee

30
Eelukitaq
Stonecut and stencil/Gravure sur pierre et pochoir
Brown, black, yellow/Brun noir, jaune
25 x 34
Edition: 50/Tirage: 50

31
A Vision of Spirit Children/Une vision de l'esprit des enfants
Stonecut and stencil/Gravure sur pierre et pochoir
Green, yellow/Vert, jaune
25 x 34
Edition: 50/Tirage: 50

32
A Parade of Birds/Une parade d'oiseaux
Stonecut and stencil/Gravure sur pierre et pochoir
Green, black, brown, yellow/Vert, noir, brun, jaune
25 x 34
Edition: 50/Tirage: 50

33
Natsiit Pitseolaqlu
Stonecut and stencil/Gravure sur pierre et pochoir
Grey, green, orange/Gris, vert, orange
25 x 34
Edition: 50/Tirage: 50

Kenojuak

34
Owls and Foliage/Hiboux et feuillage
Stonecut/Gravure sur pierre
Orange, green, black/Orange, vert, noir
25 x 34
Edition: 50/Tirage: 50

Kudjuakju

35
Sky Spirit/Esprit du ciel
Stonecut/Gravure sur pierre
Red, blue, black/Rouge, bleu, noir
22 x 28
Edition: 50/Tirage: 50

Lucy

36
Launching the Umiak/Le lancement du Umiak
Stonecut and stencil/Gravure sur pierre et pochoir
Blue, black, grey, green/Bleu, noir, gris, vert
13 x 25
Edition: 50/Tirage: 50

37
Yellow Bird/Oiseau jaune
Stencil/Pochoir
Yellow, black/Jaune, noir
20 x 26
Edition: 50/Tirage: 50

38
Tulukara
Stonecut and stencil/Gravure sur pierre et pochoir
Black, red, yellow, blue/Noir, rouge, jaune, bleu
23¼ x 24¾
Edition: 50/Tirage: 50

Napachie

39
Our Summer Tent/Notre tente d'été
Stonecut/Gravure sur pierre
Black, green/Noir, vert
22 x 28
Edition: 50/Tirage: 50

40
Mother and Child with Fish/Mère et enfant avec un poisson
Stonecut/Gravure sur pierre
Black, brown/Noir, brun
22 x 28
Edition: 50/Tirage: 50

Ningeeuga

41
Five Faces/Cinq visages
Stonecut and stencil/Gravure sur pierre et pochoir
Grey, black/Gris, noir
24 x 28½
Edition: 50/Tirage: 50

42
Our Snow House/Notre maison de neige
Stonecut and stencil/Gravure sur pierre et pochoir
Green, black, grey/Vert, noir, gris
25 x 34
Edition: 50/Tirage: 50

43
Wolf Spirits/Les esprits-loups
Stonecut and stencil/Gravure sur pierre et pochoir
Yellow, green/Jaune, vert
25 x 34
Edition: 50/Tirage: 50

Pitaloosie

44
Amautoatuq
Stonecut and stencil/Gravure sur pierre et pochoir
Yellow, orange, black/Jaune, orange, noir
34 x 25
Edition: 50/Tirage: 50

45
The Arctic Owl/Le hibou de l'Arctique
Stonecut/Gravure sur pierre
Grey, orange, black/Gris, orange, noir
25 x 34
Edition: 50/Tirage: 50

Pitseolak

46
Kaujagjuk Nanuqlu
Stonecut and stencil/Gravure sur pierre et pochoir
Grey, black, yellow/Gris, noir, jaune
24 x 12½
Edition: 50/Tirage: 50

47
New Birds/Nouveaux oiseaux
Stonecut and stencil/Gravure sur pierre et pochoir
Grey, green, black/Gris, vert, noir
34 x 25
Edition: 50/Tirage: 50

48
Asleep in a Windbreak/Repos dans un abri
Stonecut and stencil/Gravure sur pierre et pochoir
Grey, brown, orange/Gris, brun, orange
25 x 17
Edition: 50/Tirage: 50

49
Kaujagjuk
Stonecut and stencil/Gravure sur pierre et pochoir
Brown, black/Brun, noir
24 x 17
Edition: 50/Tirage: 50

50
Overnight Camp/Campement pour la nuit
Stonecut and stencil/Gravure sur pierre et pochoir
Brown, green, black/Brun, vert, noir
25 x 17
Edition: 50/Tirage: 50

51
Tuktura
Stonecut and stencil/Gravure sur pierre et pochoir
Green, brown/Vert, brun
25 x 13
Edition: 50/Tirage: 50

52
Young Bears/Jeunes ours
Stonecut and stencil/Gravure sur pierre et pochoir
Yellow, brown, grey, red/Jaune, brun, gris, rouge
22 x 28
Edition: 50/Tirage: 50

Pudlo

53
Spring Landscape/Paysage du printemps
Stonecut and stencil/Gravure sur pierre et pochoir
Blue, green, brown, yellow/Bleu, vert, brun, jaune
22 x 28
Edition: 50/Tirage: 50

Soroseelutu

54
Timiat Anuraktut
Stonecut and stencil/Gravure sur pierre et pochoir
Black, brown, orange/Noir, brun, orange
25 x 34
Edition: 50/Tirage: 50

55
Qangattaujaqtuq
Stonecut/Gravure sur pierre
Grey, black, brown/Gris, noir, brun
12¾ x 18½
Edition: 50/Tirage: 50

56
Handstand/Marche sur les mains
Stonecut and stencil/Gravure sur pierre et pochoir
Brown, black, yellow/Brun, noir, jaune
12¾ x 18½
Edition: 50/Tirage: 50

57
Sealskin Tent/Tente en peau de phoque
Stonecut/Gravure sur pierre
Brown, black/Brun, noir
12¾ x 18½
Edition: 50/Tirage: 50

58
Walrus Hunter/Chasseur de morses
Stonecut/Gravure sur pierre
Brown, black/Brun, noir
12¾ x 18½
Edition: 50/Tirage: 50

Tukiki

59
Home After the Hunt/La rentrée de la chasse
Stonecut and stencil/Gravure sur pierre et pochoir
Black, brown, grey/Noir, brun, gris
22 x 28
Edition: 50/Tirage: 50

Ulayu

60
Family Camping/Campement familial
Stonecut and stencil/Gravure sur pierre et pochoir
Green, brown, grey/Vert, brun, gris
25 x 20¾
Edition: 50/Tirage: 50

61
Ingniqpik
Stonecut and stencil/Gravure sur pierre et pochoir
Blue, yellow, brown/Bleu, jaune, brun
25 x 34
Edition: 50/Tirage: 50

62
Woman Sewing Kamiks/Femme cousant des Kamiks
Stonecut and stencil/Gravure sur pierre et pochoir
Black, grey, yellow/Noir, gris, jaune
25 x 34
Edition: 50/Tirage: 50

63
Summer Campers/Campeurs d'été
Stonecut/Gravure sur pierre
Brown, yellow, black/Brun, jaune, noir
22 x 28
Edition: 50/Tirage: 50

64
Inside our Tupik/Dans notre Tupik
Stonecut and stencil/Gravure sur pierre et pochoir
Black, orange, red/Noir, orange, rouge
25 x 34
Edition: 50/Tirage: 50

Note: Paper size will perhaps vary from print to print.

Note: Le format du papier peut varier d'une reproduction à l'autre.

Photographs/Photographie:
John de Visser (Scenic/Scénique), Terry Ryan

French translation/Traduction française:
Les Communications LeMénach

Design/Conception graphique:
Howard Pain

Editing/Mise en page:
Dorothy Martins

Typesetting/Typographie:
Howarth & Smith Limited

Printing/Impression:
Herzig Somerville Limited

This book was produced in Canada
Ce livre a été réalisé au Canada

The prints have been selected by the Canadian Eskimo Arts Council, an advisory body which recommends policy to the Minister of Northern Affairs and helps orderly development of Eskimo art markets. The committee is drawn from known and established members of the Canadian art community.

Les oeuvres ont été choisies par le Conseil canadien des arts esquimaux, un organisme chargé de recommander des politiques au Ministère des Affaires Indiennes et du Nord pour contribuer au meilleur développement des marchés accessibles à l'art esquimau. Le comité est formé de personnalités bien connues de la communauté artistique canadienne.